AAAAH !
PAS LE DENTISTE !

Au Docteur Jean-Marc Aubert et à Guizmo

ISBN 978-2-211-20952-6
Première édition dans la collection *lutin poche* : juin 2012

Loi numéro 49 956 du 16 juillet 1949 sur les publications
destinées à la jeunesse : septembre 2010
Dépôt légal : juin 2012
Imprimé en France par IME à Baume-les-Dames

Stephanie Blake

AAAAH !
PAS LE DENTISTE !

lutin poche de l'école des loisirs
11, rue de Sèvres, Paris 6e

Aujourd'hui,
Simon
est invité à dormir
chez Ferdinand.
Le
papa
de
Ferdinand
leur fait
des
CRÊPES.

« AÏE ! »
dit Simon
lorsqu'il mord dans la sienne.
« J'ai mal à ma dent,
j'ai
très
très
TRÈS
MAL
à ma dent ! »

**« Simon,
tu as une grosse carie.
Je vais prévenir
ta maman.
Elle t'emmènera
chez le dentiste »,
dit le papa
de Ferdinand.**

Ouvre bien grand.
C'est tout noir là-dedans !

« Allô Eva ?
C'est Nicolas.
Je t'appelle
parce que Simon
a une très grosse carie
sur la molaire gauche,
et il a très mal. »

« Mon pauvre Simon »,
dit Ferdinand.
« Le dentiste va t'attacher
sur son fauteuil,
il va t'écarter
très fort la bouche
et il va te faire une
très
très
très
GROSSE
piqûre ! »

« Jamais de la vie !
Jamais j'irai chez le dentiste ! »
dit Simon.
« Et d'abord,
je suis Superlapin !
Jamais personne ne fait
une piqûre à Superlapin ! »

Le lendemain matin,
lorsque sa maman vient
le chercher,
elle lui dit :
« Dépêche-toi, Simon,
nous avons rendez-vous
chez le dentiste. »
Simon répond :
« LE DENTISTE, PAS QUESTION ! »

Mais
sa maman
ne l'écoute pas.
Elle l'oblige
à monter
dans la voiture.

Au
secours !

« Ah ! Mais c'est Superlapin ! »
dit la dentiste.
« CACA ! » répond Simon.
« Enchantée de faire
ta connaissance, Caca.
Moi, c'est Marie-Laure.
Viens t'allonger dans mon
Superfauteuil
pour les
Superlapins ! »

« Jamais
j'irai
sur ce
fauteuil ! »

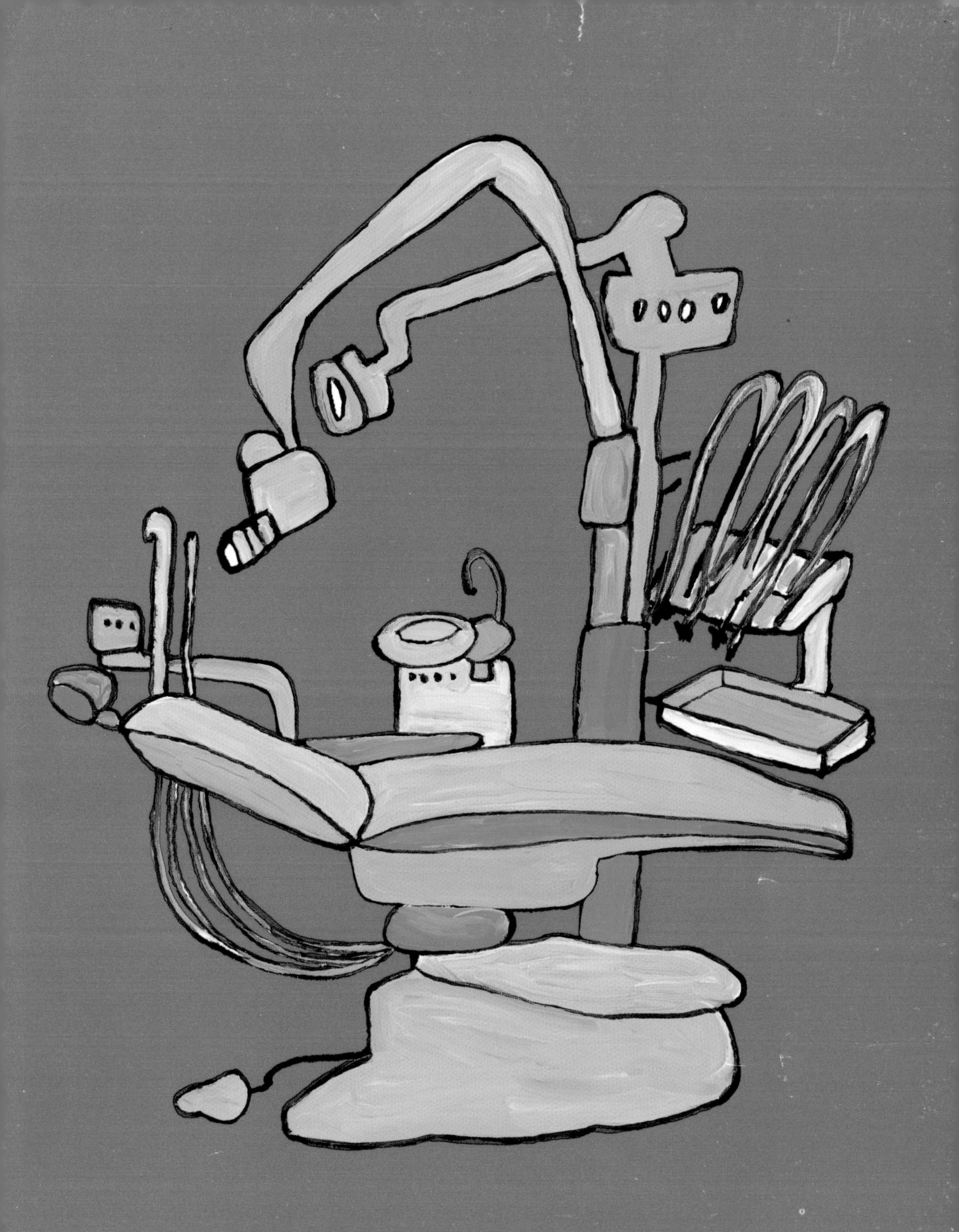

Mais sa maman
l'oblige
à s'allonger
quand même.

« Ne t'inquiète pas »,
dit Marie-Laure.
« Je ne vais pas te faire mal. »
Elle met
dans la
bouche de Simon
une pâte à la fraise
qui sent très bon.
Et Simon,
sans bouger,
se laisse soigner.

« Voilà, Caca, c'est fini »,
dit Marie-Laure.
« Je m'appelle Simon. »
« Enchantée, Simon,
tu as été
très courageux. »
« Normal !
Je suis Superlapin ! »

Et lorsque Simon
rentre chez lui,
il appelle
Ferdinand
pour lui dire
une seule chose :
« Même pas mal ! »